Café gourmand

{Collection}

Maya Barakat-Nuq

Photographies : Éric Fénot
Stylisme : Delphine Brunet

hachette
PRATIQUE

Moelleux et fondants

Croquants et croustillants

Crémeux et mousseux

Glacés et rafraîchissants

Fruités et légers

Mi-cuits au chocolat
à la cuillère

Pour **6 personnes** | Préparation **15 minutes**
Cuisson **10 minutes** | Réfrigération **1 heure** | Niveau **facile**

60 g de beurre + 30 g pour les ramequins | 2 œufs | 70 g de chocolat noir
à 70 % de cacao | 80 g de sucre | 30 g de farine + 1 cuil. à soupe pour les
ramequins

Matériel | 6 ramequins à bords hauts

Beurrez l'intérieur des ramequins avec le beurre fondu. Placez-les 5 min au
réfrigérateur, puis sortez-les et saupoudrez-les de farine. Retournez les
ramequins et tapotez-les pour faire tomber l'excédent de farine.

Cassez le chocolat en petits morceaux au-dessus d'une casserole et faites-le
fondre à feu très doux ou au bain-marie. Retirez du feu et ajoutez le reste de
beurre coupé en petits morceaux. Mélangez bien pour obtenir une crème
bien lisse. Réservez. Cassez les œufs dans un saladier et fouettez-les
vigoureusement avec le sucre jusqu'à ce que le mélange devienne bien blanc
et mousseux. Versez le chocolat fondu et la farine. Mélangez délicatement.
Répartissez le mélange dans les 6 ramequins et placez-les au réfrigérateur
pendant 1 h.

Préchauffez le four à 210 °C (th. 7). Enfournez les petits gâteaux pendant
10 min. Servez chaud ou tiède pour qu'ils soient bien coulants.

Variante | On peut, pour un dessert encore plus chocolaté, ajouter
des pépites de chocolat dans la pâte.

Conseil | Fondant à souhait et à peine cuit, ce gâteau se déguste
uniquement dans des ramequins individuels et à la cuillère.

Délicieux à la poire

Pour **10 personnes** | Préparation **30 minutes**
Cuisson **35 minutes** | Repos **1 heure** | Niveau **facile**

125 g de compote de poires | 25 cl de jus de poires | 200 g de miel | 150 g de pépites de chocolat noir | 100 g de sucre | 250 g de farine complète 250 g de farine blanche | 2 sachets de levure en poudre | 1 sachet de vanille en poudre

Pour le glaçage | 125 g de compote de poires | 100 g de miel | 2 cuil. à soupe de cognac (facultatif) | 1 sachet de vanille en poudre

Préchauffez le four à 180 °C (th. 6) et graissez le moule. Dans un grand saladier, versez tous les ingrédients sauf les pépites de chocolat et les ingrédients pour le glaçage. Mélangez intimement au batteur électrique.

Répartissez les pépites de chocolat dans l'appareil et versez-le dans le moule graissé. Laissez cuire pendant 35 min, puis laissez refroidir dans le moule à température ambiante.

Préparez le glaçage. Battez vigoureusement tous les ingrédients du glaçage et versez la préparation dans une casserole. Amenez à ébullition tout en mélangeant et laissez refroidir. Lorsque le mélange est tiède, versez-le sur le gâteau froid et attendez environ 1 h avant de découper des petits carrés d'environ 3 cm de côté.

Variantes | Vous pouvez remplacer la compote de poires par de la poire bien mûre en petits morceaux, de la pomme ou de la banane.

Conseils | Ces petits gâteaux se conservent parfaitement dans une boîte hermétique et se congèlent découpés et placés dans un sac ou une boîte en plastique. Ils sont parfaits pour un café du matin ou en milieu d'après-midi.

Carrés nantais au rhum

Pour **8 personnes**
Préparation **15 minutes**
Cuisson **20 minutes**
Niveau **facile**

100 g de beurre fondu | 3 œufs | 150 g d'amandes en poudre | 2 cuil. à soupe d'amandes effilées | 500 g de sucre 1 petit verre de rhum (7 cl) | 1 à 3 gouttes d'extrait d'amandes amères | 1 cuil. à soupe de zeste d'orange | 1 cuil. à soupe de zeste de citron

Matériel | Moule rectangulaire

Séparez les blancs des jaunes d'œufs et battez les blancs en neige ferme. Faites fondre doucement le beurre. Fouettez le sucre et les jaunes d'œufs, ajoutez les amandes en poudre, le rhum, puis le beurre, l'extrait d'amandes amères et les zestes. Fouettez le tout. Versez la préparation dans le moule beurré et mettez 20 min à four chaud à 170 °C (th. 5-6).

Démoulez le gâteau, parsemez-le d'amandes effilées, et laissez-le refroidir avant de le découper en carrés.

Truffes au chocolat noir

Pour **25 pièces**
Préparation **30 minutes**
Cuisson **10 minutes**
Réfrigération **1 heure**
Niveau **facile**

7 cl de crème fraîche épaisse | 30 g de beurre | 1 œuf | 200 g de chocolat noir 2 cuil. à soupe de poudre de cacao ou de chocolat râpé | 100 g de sucre glace tamisé | 1 cuil. à soupe de rhum (facultatif)

Matériel | Caissettes en papier

Faites fondre le chocolat et le beurre au bain-marie. Ajoutez le sucre et remuez jusqu'à ce qu'il soit fondu. Retirez la casserole du feu et incorporez l'œuf sans cesser de remuer. Ajoutez la crème fraîche et le rhum si vous avez choisi d'en mettre. Mélangez bien. Réservez la pâte au frais pendant 1 h.

Façonnez avec vos mains des petites boules et roulez-les dans le cacao ou dans le chocolat râpé. Déposez les truffes au fur et à mesure dans les caissettes.

Fondants au café

Pour environ **30 pièces** | Préparation **30 minutes**
Cuisson **15 minutes** | Niveau **difficile**

200 g de sucre | 12 g de sirop de glucose | 1/2 cuil. à café d'essence de café
4 à 5 gouttes de colorant alimentaire

Matériel | Thermomètre à confiserie

Faites chauffer le sucre, 12 cl d'eau et le sirop de glucose dans une casserole entre 112 et 116 °C jusqu'au petit boulé (formation d'une boule molle).

Huilez un plan de travail en marbre ou un grand plat en porcelaine et versez dessus le sirop au petit boulé. Laissez refroidir 3 à 4 min, puis travaillez-le avec une spatule en bois en faisant des 8 jusqu'à ce qu'il prenne une consistance blanche et ferme.

Ajoutez le colorant et l'essence de café et pétrissez avec vos mains mouillées jusqu'à ce que ces deux ingrédients soient bien assemblés. Prélevez alors des petites quantités et roulez-les en boules entre vos mains.

Variantes | Vous pouvez varier les essences (vanille, chocolat...) et les présentations en faisant dissoudre le fondant au bain-marie pour le couler dans des petites caissettes en papier. Vous pouvez aussi remplir un plateau d'amidon en poudre, y creuser des alvéoles avec un moule et remplir ces alvéoles de fondant liquide. Lorsqu'il est pris, retirez les bonbons en enlevant l'excédant d'amidon avec une brosse douce.

Conseil | Proposez ces fondants aux amateurs de confiseries et de sucreries et pour accompagner le café après un repas plutôt riche et copieux.

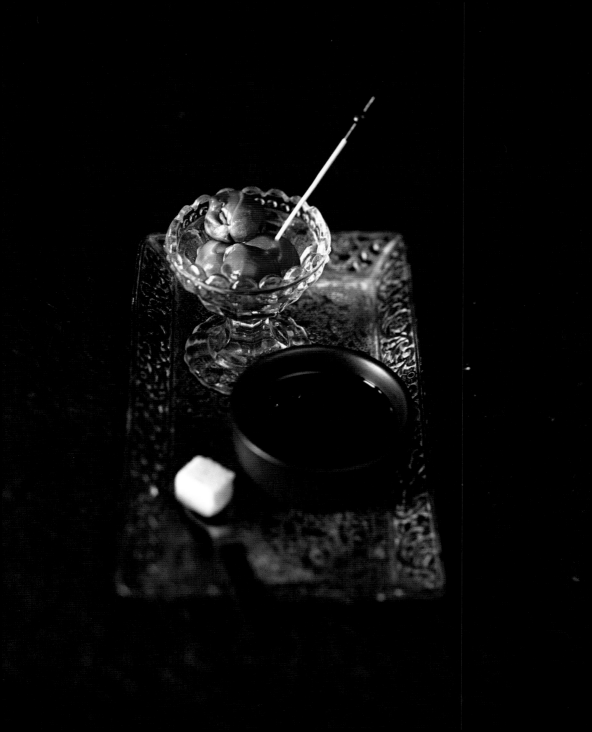

Petits gâteaux aux marrons confits et clous de girofle

Pour environ **20 pièces** | Préparation **1 heure**
Cuisson **25 minutes** | Niveau **facile**

150 g de beurre ramolli | 2 œufs | 125 g de sucre en poudre | 200 g de farine
1 cuil. à café de levure en poudre | 1 pincée de clous de girofle en poudre

Pour la farce | 150 g de purée de marrons | 50 g de brisures de marrons confits
2 cuil. à soupe de miel

Pour le glaçage | 2 blancs d'œufs | 250 g de sucre glace | 2 cuil. à soupe de
jus de citron | 1 pincée de clous de girofle en poudre

Matériel | Moule rectangulaire d'environ 20 × 40 cm | Emporte-pièce

Battez le beurre et le sucre jusqu'à obtenir un ruban blanc. Ajoutez les œufs et continuez à battre. Versez la farine, les clous de girofle et la levure et mélangez bien. Préchauffez le four à 190 °C (th. 6), beurrez et farinez le moule, et versez-y la pâte. Faites cuire 25 min. Laissez refroidir sur une grille, puis découpez avec un emporte-pièce. Creusez les gâteaux avec la pointe d'un couteau et prélevez la valeur d'une petite noix.

Préparez la farce en mélangeant tous les ingrédients et fourrez les gâteaux.

Préparez le glaçage royal. Battez les blancs d'œufs avec un peu de sucre glace et le jus de citron jusqu'à obtenir un mélange homogène. Ajoutez peu à peu le reste de sucre et les clous de girofle tout en battant vigoureusement pendant 10 min. Il faut que le glaçage soit bien épais. Utilisez-le immédiatement pour glacer les gâteaux.

Conseil | Servez après un repas raffiné en hiver ou à la période des fêtes de fin d'année.

Financiers au thé vert

Pour environ **30 pièces**
Préparation **20 minutes**
Cuisson **30 minutes**
Niveau **facile**

150 g de beurre ramolli | 3 jaunes
+ 2 blancs d'œufs | 300 g de sucre
250 g de farine | 150 g d'amandes
en poudre | 1 cuil. à soupe de thé vert
en poudre | 1 petite pincée de sel

Matériel | Moules à financiers

Séparez les blancs des jaunes d'œufs et travaillez dans une terrine le beurre avec les jaunes. Ajoutez la farine et le thé vert et mélangez intimement.

Montez les blancs en neige ferme avec le sel. Mélangez le sucre et les amandes, puis ajoutez les blancs en neige. Versez ce mélange sur l'appareil au beurre et aux jaunes d'œufs. Allumez le four à 190 °C (th. 6) et beurrez les moules à financiers. Répartissez la pâte dans les moules et enfournez pour 30 min. Laissez refroidir avant de démouler.

Marbrés aux fruits et sésame

Pour **20-24 pièces**
Préparation **20 minutes**
Cuisson **35 minutes**
Niveau **facile**

200 g de beurre ramolli | 4 œufs | 50 g
de fruits séchés | 100 g de sésame noir
200 g de sucre | 200 g de farine

Matériel | Moule à cake

Préchauffez le four à 180 °C (th. 6). Battez le beurre 1 min, puis incorporez le sucre. Fouettez jusqu'à obtenir un ruban blanc. Ajoutez les œufs, battez, puis versez la farine.

Séparez l'appareil en deux. Dans la première moitié, ajoutez les fruits séchés, mélangez et versez dans le moule beurré et fariné. Mélangez l'autre moitié avec le sésame et ajoutez dans le moule.

Faites cuire 35 min. Laissez tiédir, puis découpez en losanges.

Mini cupcakes
aux pétales de fleurs

Pour environ **20-24 pièces** | Préparation **30 minutes**
Cuisson **20 minutes** | Niveau **facile**

5 cl de lait | 175 g de beurre ramolli | 3 œufs | 180 g de sucre | 1 sachet de sucre vanillé | 200 g de farine | 1 sachet de levure chimique | Pétales de fleurs comestibles (roses, violettes par exemple, en vente chez les herboristes ou les vendeurs de thé et café).

Pour le glaçage | 1 blanc d'œuf | 200 g de sucre glace | 3 cuil. à soupe de jus de citron | Quelques gouttes de colorant alimentaire

Matériel | Petites caissettes en papier | Moules à muffins

Préchauffez le four à 180 °C (th. 6). Dans une terrine, battez vigoureusement le beurre ramolli avec le sucre. Ajoutez progressivement les œufs, puis la farine avec la levure et le sucre vanillé et terminez par le lait. Placez les caissettes en papier dans des moules à muffins et remplissez-les aux trois quarts. Enfournez et faites cuire 20 min.

Préparez le glaçage. Fouettez le sucre glace avec le blanc d'œuf, incorporez le jus de citron, puis le colorant. Étalez le glaçage sur les cupcakes froids et décorez avec des pétales de fleurs comestibles.

Variante | Vous pouvez décorer les mini cupcakes avec des petites baies (myrtilles, groseilles, cassis) ou alterner avec les pétales et même utiliser 2 ou 3 colorants pour plus d'effet de couleur.

Conseil | Servez avec un expresso, un cappuccino ou un café allongé selon les goûts.

Puddings à la pomme et au caramel salé

Pour **8 personnes** | Préparation **20 minutes**
Cuisson **20 minutes** | Niveau **facile**

2 pommes golden | 20 cl de lait entier | 50 g de beurre | 2 œufs + 1 blanc
2 cuil. à soupe d'huile végétale neutre | 100 g de sucre | 140 g de farine

Pour le caramel | 2 cuil. à soupe de crème liquide | 30 g de beurre
75 g de sucre | 1 pincée de sel | 10 cl d'eau

Matériel | Plaque à muffins

Épluchez et épépinez les pommes. Coupez-les en petits morceaux et faites-les cuire 5 min dans une poêle avec le beurre et 40 g de sucre.

Préchauffez le four à 210 °C (th. 7). Huilez les trous de la plaque à muffins. Battez vigoureusement les œufs entiers et le blanc jusqu'à ce qu'ils doublent de volume. Ajoutez le reste de sucre et fouettez encore 5 min. Incorporez la farine et le lait, puis mélangez. Terminez par les morceaux de pommes. Répartissez l'appareil dans les trous à muffins et enfournez pour 15 min.

Préparez le caramel. Dans une petite casserole, diluez à feu doux le sucre dans l'eau, et laissez frémir jusqu'à ce que le liquide prenne une couleur blond foncé. Ajoutez le beurre, la pincée de sel et la crème. Faites fondre et remuez jusqu'à obtenir une crème liquide bien homogène. Servez les puddings chauds ou tièdes avec le caramel.

Variante | Préparez des puddings à la poire ou aux fruits rouges.

Conseils | Servez avec un expresso ou un café machine assez corsé. Vous pouvez aussi acheter du caramel liquide tout prêt et lui ajouter une pincée de sel.

Cookies aux noix
et au chocolat

Pour environ **25 pièces** | Préparation **30 minutes**
Cuisson **15 minutes** | Repos **15 minutes** | Niveau **facile**

125 g de beurre ramolli | 2 œufs | 75 g de cacao en poudre | 75 g de noix hachées | 100 g de sucre roux (cassonade) | 50 g de sucre semoule | 1 sachet de sucre vanillé | 200 g de farine | 1/2 cuil. à café rase de levure chimique | 1 pincée de sel

Matériel | Poche à douille | Plaques à pâtisserie

Dans un saladier, battez 2 à 3 min au batteur électrique le beurre avec les 3 sortes de sucre et le sel jusqu'à ce que le mélange prenne une consistance crémeuse. Ajoutez les œufs et mélangez. Versez-y la farine, le cacao et la levure et mélangez le tout afin d'obtenir une pâte homogène. Incorporez pour finir les noix hachées.

Préchauffez le four à 200 °C (th. 6-7). À l'aide d'une poche à douille (ou de 2 petites cuillères), disposez des petits tas sur les plaques à pâtisserie préalablement beurrées ou recouvertes de papier sulfurisé.

Enfournez les 2 plateaux aux 1er et 3e niveaux et faites cuire 10 à 15 min en fonction du volume des tas et de la coloration désirée. Laissez reposer un petit quart d'heure avant de déguster.

Variantes | Remplacez le cacao en poudre par 150 g de chocolat noir. Éliminez alors le sucre semoule. Essayez également les cookies avec des pépites de chocolat et des pistaches concassées.

Conseil | Servez ces cookies avec une petite crème, ganache ou flan, au chocolat ou à la vanille.

Palets aux cacahuètes caramélisées et aux pépites de chocolat

Pour environ **30 palets** | Préparation **15 minutes**
Cuisson **5 à 8 minutes** | Niveau **facile**

100 g de beurre ramolli | 1 œuf | 50 g de chocolat noir à 70 % de cacao
2 cuil. à soupe rases de cacao amer | 75 g de cacahuètes caramélisées
100 g de sucre | 200 g de farine | 1/2 cuil. à café de bicarbonate de soude
1 pincée de sel

Matériel | Plaque à pâtisserie

Préchauffez le four à 190 °C (th. 6) et beurrez la plaque à pâtisserie. Mélangez dans une terrine le beurre, le sucre et l'œuf jusqu'à obtenir une pâte souple et fluide. Ajoutez la farine, le cacao, le sel et le bicarbonate de soude. Mélangez pour obtenir une pâte homogène qui colle et que l'on ne peut pas pétrir.

Détaillez le chocolat en petits éclats et ajoutez-les à la pâte avec les cacahuètes légèrement concassées.

Prélevez des petits tas de pâte de la grosseur d'une noix, écrasez-les légèrement avec la paume, et placez-les sur la plaque beurrée et farinée. Faites cuire 5 à 8 min jusqu'à ce qu'ils soient bien dorés. Détachez les palets et laissez-les refroidir sur une grille.

Variante | Vous pouvez remplacer les cacahuètes caramélisées par des cacahuètes légèrement salées, l'association sera très réussie.

Conseil | Ne faites pas trop cuire ces palets, sinon ils seront trop durs une fois froids. Il faut les retirer encore mous et moelleux. Ils durciront en refroidissant.

Croquants aux framboises et au citron

Pour environ **30 pièces**
Préparation **35 minutes**
Cuisson **15 minutes**
Niveau **facile**

125 g de framboises | 1/2 citron
125 g de beurre | 1 œuf | 50 g de noix
concassées | 80 g de sucre semoule
100 g de cassonade blonde | 2 sachets
de sucre vanillé | 200 g de farine
2 sachets de levure en poudre

Matériel | Plaque à pâtisserie

Battez le beurre, le sucre semoule, la cassonade et l'œuf entier, jusqu'à ce que le mélange devienne mousseux. Ajoutez-y la farine, la levure et le sucre vanillé.

Râpez finement le demi-citron sans prélever la partie de peau blanche. Incorporez au mélange mousseux 3 cuillerées à soupe de jus et le zeste. Ajoutez les framboises, les noix et mélangez.

Préchauffez votre four à 190 °C (th. 6) et faites des petits tas sur la plaque à pâtisserie. Faites cuire 15 min environ.

Chaussons aux fruits

Pour environ **8 chaussons**
Préparation **30 minutes**
Cuisson **30 minutes**
Niveau **difficile**

200 g de fruits en compote | 1 pâte brisée ou feuilletée | 3 cuil. à soupe de noisettes, de pistaches ou d'amandes hachées | 3 cuil. à soupe de sucre

Matériel | Emporte-pièce | Plaque à four | Feuille de cuisson

Dans la pâte, découpez des disques de 6 à 8 cm de diamètre avec un emporte-pièce. Préchauffez le four à 180 °C (th. 5-6). Garnissez la moitié de chaque disque de compote et de fruits secs.

Rabattez l'autre moitié du disque pour former un chausson en forme de demi-lune. Soudez bien les bords. Humectez légèrement les chaussons et saupoudrez-les de sucre.

Étalez la feuille de cuisson sur la plaque à four, disposez-y les chaussons et faites cuire 30 min.

Nems de banane épicée aux deux chocolats

Pour environ **12 nems** | Préparation **30 minutes**
Cuisson **20 minutes** | Niveau **difficile**

4 bananes mûres | 1 citron vert | 10 cl de crème liquide | 25 g de beurre fondu
100 g de chocolat noir | 100 g de chocolat blanc | 6 feuilles de brick
1/2 cuil. à café de cannelle en poudre | 1/2 cuil. à café d'anis en poudre
2 cuil. à soupe de sucre | 1 petite pincée de poivre

Matériel | Plaque à four | Feuille de papier cuisson

Préchauffez le four à 210 °C (th. 7). Pressez le citron et écrasez grossièrement les bananes avec une fourchette. Arrosez-les de jus de citron, parsemez de cannelle, d'anis, de poivre et de sucre. Faites cuire dans une poêle à feu doux pendant 5 min.

Coupez chaque feuille de brick en deux et badigeonnez-la de beurre fondu. Placez 1 cuillerée de purée de banane au bout d'une demi-feuille à 2 cm du bord, ramenez les côtés vers le centre et roulez la feuille. Posez-les au fur et à mesure sur une feuille de papier cuisson beurrée.

Faites cuire les nems sur une plaque posée à mi-hauteur du four, pendant 15 min en retournant à mi-cuisson. Faites fondre chaque tablette de chocolat dans une casserole avec la moitié de la crème.

Servez les nems chauds avec les deux sauces au chocolat, noir et blanc.

Variante | Vous pouvez préparer des nems à la pêche, aux abricots, aux fraises, à la rhubarbe ou offrir un assortiment avec différents fruits. Aromatisez les fruits de votre liqueur ou alcool préféré.

Conseil | Servez ces nems après un repas asiatique ou après un dîner informel composé de plusieurs plats à grignoter avec les doigts.

Tarte aux noix de pécan

Pour **8-10 personnes** | Préparation **15 minutes**
Cuisson **30 minutes** | Niveau **facile**

60 g de beurre fondu | 3 œufs | 12 cerises confites

1 pâte brisée | 200 g de noix de pécan | 200 g de cassonade | 3 cuil. à soupe de farine | 1 cuil. à café d'extrait de vanille | 2 cuil. à soupe de zeste de citron

Matériel | Moule à tarte

Déroulez la pâte et parsemez du zeste de citron avant de la garnir. Foncez le moule beurré et réservez au frais. Hachez les noix et réservez.

Battez les œufs avec le sucre, ajoutez l'extrait de vanille, la farine et le beurre. Préchauffez le four à 200 °C (th. 6-7). Sortez la pâte du réfrigérateur, répartissez les noix hachées sur le fond et versez par-dessus l'appareil aux œufs.

Enfournez et faites cuire 15 min, puis baissez la température à 180 °C (th. 6) et continuez la cuisson encore 15 min. La garniture doit être bien ferme. Laissez refroidir, démoulez, découpez en petits carrés ou rectangles et décorez avec les cerises confites.

Variantes | Pour une présentation plus soignée, vous pouvez préparer des petites tartelettes individuelles. Vous pouvez aussi mélanger les noix de pécan à des noix classiques ou encore essayer un mélange de noix, noisettes, amandes et pignons.

Conseil | Servez avec un café filtre allongé ou un café glacé.

Bouchées de nectarines

Pour environ **12 bouchées**
Préparation **20 minutes**
Cuisson **30 minutes**
Niveau **facile**

4 nectarines | Le jus de 1/2 citron
20 g de beurre | 150 g de pâte sablée
1/2 cuil. à café de cannelle en poudre
3 cuil. à soupe de sirop d'érable

Pour le crumble | 50 g de sucre en
poudre | 150 g de farine | 1 pincée
de sel | 75 g de beurre

Matériel | Plaque à pâtisserie

Préchauffez le four à 200 °C (th. 6-7).
Pelez les nectarines, coupez-les en dés et
mélangez au jus de citron, au sirop
d'érable et à la cannelle.

Étalez la pâte sur une plaque à pâtisserie
et répartissez le mélange aux nectarines.

Préparez le crumble. Mélangez la farine,
le sucre et le sel. Incorporez le beurre et
mélangez jusqu'à l'obtention de fines
miettes. Répartissez sur les nectarines.
Enfournez 30 min jusqu'à ce que la
surface soit bien dorée.

Crumble de prunes au pain d'épice

Pour **8 personnes**
Préparation **20 minutes**
Cuisson **25 minutes**
Marinade **2 à 3 heures**
Niveau **facile**

1,2 kg de quetsches ou de prunes rouges
100 g de beurre | 6 tranches moyennes
de pain d'épice | 6 biscuits suédois au
gingembre | 5 à 6 cuil. de miel | 1 dl
de vin rouge | 2 ou 3 clous de girofle
1 bâton de cannelle

Coupez les prunes en deux et ôtez le
noyau. Laissez-les mariner 2 à 3 h dans
une terrine avec le vin rouge et les épices
en mélangeant fréquemment. Égouttez.
Ajoutez du sucre si le goût est trop
acidulé.

Préchauffez le four à 200 °C (th. 6-7).
Déposez les prunes sur un plat à four.
Émiettez le pain d'épice, les biscuits et
mélangez au miel et au beurre. Versez
sur les prunes et enfournez pour 25 min.

Petits pots de crème au chocolat et au gingembre

Pour **8 personnes** | Préparation **20 minutes**
Cuisson **20 minutes** | Réfrigération **1 heure** | Niveau **facile**

15 cl de lait | 15 cl de crème liquide | 3 œufs | 100 g de chocolat noir
1/2 cuil. à café de gingembre frais râpé | 6-8 morceaux de gingembre confit
25 g de sucre en poudre | 1 bombe de chantilly

Matériel | 8 petits ramequins | Plat à four

Préchauffez le four à 100 °C (th. 3). Portez le lait à ébullition et, hors du feu, ajoutez le chocolat en morceaux, le gingembre râpé et le sucre. Mélangez. Dans un saladier, cassez les œufs et fouettez-les avec la crème liquide. Ajoutez le lait chaud et mélangez bien.

Hachez finement les morceaux de gingembre confits et incorporez les deux tiers dans la préparation.

Répartissez la préparation dans les ramequins. Disposez ces derniers dans un plat à four rempli à moitié d'eau chaude et enfournez pour 20 min.

Laissez refroidir, puis placez au réfrigérateur pendant 1 h avant de servir. Décorez de chantilly et du reste de gingembre confit juste avant de déguster.

Variante | Vous pouvez ajouter au lait chaud une cuillerée à café de café instantané.

Conseil | Vous pouvez planter un biscuit à la vanille ou au chocolat dans la crème ou servir les petits pots accompagnés de « mouillettes » de pain d'épice ou de brioche.

Tiramisu
de chocolat blanc aux fraises

Pour **8 personnes** | Préparation **15 minutes**
Réfrigération **6 heures** | Niveau **facile**

250 g de gariguettes | 250 g de mascarpone | 3 œufs | 12 biscuits à la cuiller
100 g de chocolat blanc | 1 cuil. à soupe de cacao amer | 50 g de sucre
10 cl d'amaretto (liqueur d'amandes) | 15 cl de café froid bien corsé

Matériel | 8 coupes ou verres transparents

Rincez les fraises, équeutez-les, séchez-les et détaillez-les en petits dés. Arrosez-les de liqueur d'amandes.

Séparez les blancs des jaunes d'œufs et conservez les jaunes. Montez les blancs en neige très ferme et réservez. Faites fondre le chocolat blanc cassé en petits morceaux dans une casserole sur feu très doux. Fouettez vigoureusement les jaunes avec le sucre jusqu'à obtention d'un ruban jaune clair. Incorporez le mascarpone, puis les blancs en neige et terminez par le chocolat fondu tiède.

Trempez quelques secondes les biscuits à la cuiller dans le café, puis disposez-les au fond de 8 jolis verres ou coupes transparents. Versez 1 grosse cuillerée du mélange au mascarpone, dispersez quelques dés de fraises avec leur jus, puis une deuxième cuillerée de crème au mascarpone. Terminez par le reste de fraises et saupoudrez de cacao. Conservez au réfrigérateur au moins 6 heures avant de servir.

Variantes | Vous pouvez remplacer le cacao par des pistaches concassées ou une neige de noix de coco et les fraises par d'autres fruits rouges ou des quartiers d'abricots, de poires au sirop...

Conseil | Ce dessert est particulièrement adapté pour un déjeuner de printemps.

Crème brûlée à la clémentine

Pour **8 personnes**
Préparation **15 minutes**
Cuisson **35 minutes**
Niveau **facile**

2 clémentines non traitées | 25 cl de lait | 50 cl de crème liquide | 1 œuf + 7 jaunes | 170 g de sucre | 50 g de cassonade | 3 cuil. à soupe de liqueur de mandarine | 1 gousse de vanille

Matériel | 8 ramequins

Zestez les clémentines. Pressez-en 1. Fendez la gousse de vanille en deux. Faites chauffer doucement le jus avec la vanille et le zeste pendant 10 min.

Préchauffez le four à 160 °C (th. 5). Battez l'œuf avec les jaunes et le sucre. Ajoutez la crème, le lait et le jus refroidi. Terminez par la liqueur de mandarine. Mélangez bien.

Répartissez la crème dans 8 ramequins et enfournez-les pour 35 min. Laissez refroidir et réfrigérez. Juste avant de servir les crèmes brûlées, saupoudrez-les de cassonade et passez-les sous le gril du four.

Tarte à l'orange meringuée

Pour **8 personnes**
Préparation **30 minutes**
Cuisson **35 minutes**
Niveau **facile**

1 pâte sablée | Le jus de 3 oranges + le zeste d'1 | 125 g de beurre 3 œufs + 4 blancs | 100 g de sucre 4 cuil. à soupe de sucre glace

Matériel | Moule à tarte

Étalez la pâte sablée dans le fond d'un moule à tarte beurré. Allumez le four à 220 °C (th. 7), piquez le fond de la tarte avec une fourchette et faites-la cuire à blanc pendant 10 min en la garnissant d'un papier sulfurisé et de légumes secs.

Mélangez au bain-marie, le jus et le zeste d'orange avec les œufs, le beurre ramolli et le sucre. Battez vigoureusement jusqu'à ce que le mélange devienne mousseux.

Battez les blancs en neige avec le sucre glace. Versez la crème sur la pâte, ajoutez les œufs en neige et faites cuire à 180 °C (th. 6) pendant 15 min. Servez froid.

Verrines épicées à l'abricot

Pour **8 personnes** | Préparation **15 minutes**
Cuisson **5 minutes** | Niveau **facile**

4 cuil. à soupe de crème liquide | 5 cuil. à soupe de gelée d'abricot | 2 tranches de génoise au chocolat | 120 g de chocolat noir | 2 cuil. à soupe d'amandes effilées | 1 pincée de gingembre | 1 pincée de cannelle | 1 pincée de poivre noir
Matériel | 8 verrines

Émiettez les tranches de génoise. Faites bouillir la crème liquide et versez-la sur le chocolat coupé en petits morceaux. Mélangez bien et faites fondre. Ajoutez les épices, puis la génoise émiettée et mélangez. Vous obtiendrez une sorte de ganache avec des morceaux épais, ne cherchez pas à les écraser.

Préparez les verrines, en tapissant le fond d'une couche de gelée d'abricot. Étalez 1 cuillerée de ganache au chocolat, parsemez d'un peu d'amandes et recommencez. Terminez par la ganache. Décorez d'amandes effilées et réservez au frais.

Variante | Vous pouvez présenter ces verrines démoulées en tapissant le verre huilé d'un film alimentaire. Laissez prendre 2 h au congélateur avant de renverser et de démouler sur une assiette décorée d'un filet de coulis d'abricot et de quelque amandes effilées.

Conseil | Servez ces verrines avec un bon café corsé légèrement sucré ou avec un café à la viennoise c'est-à-dire agrémenté d'une dose de crème Chantilly.

Verrines crémeuses potiron-épices

Pour **8 personnes**
Préparation **40 minutes**
Cuisson **25 minutes**
Réfrigération **1 à 2 heures**
Niveau **facile**

1,2 kg de potiron | 25 cl de crème fraîche
60 g de beurre ramolli | 4 œufs | 4 cuil.
à soupe de miel | 1/2 cuil. à café de
cannelle | 1/2 cuil. à café de muscade
1/2 cuil. à café de gingembre en poudre
2 cuil. à café de pignons de pin | 120 g
de sucre

Matériel | 8 verrines

Coupez le potiron en dés. Faites cuire en purée avec 1 demi-verre d'eau. Séparez les blancs des jaunes d'œufs. Battez les jaunes avec le sucre et les épices.

Mélangez la purée de potiron à la crème, au miel et au beurre ramolli. Ajoutez les jaunes d'œufs battus.

Montez les blancs en neige, puis incorporez-les à l'appareil au potiron. Répartissez dans des verrines, décorez de pignons de pin et réservez au frais 1 à 2 h.

Panna cotta cerises et liqueur de rose

Pour **8 personnes**
Préparation **20 minutes**
Cuisson **15 minutes**
Réfrigération **8 heures**
Niveau **très facile**

60 cl de crème fraîche | 4 cuil. à café de
confiture de cerises | 3 feuilles de gélatine
3 cuil. à soupe de liqueur de rose
1 gousse de vanille | 80 g de sucre

Matériel | 8 ramequins ou verrines

Faites ramollir la gélatine dans de l'eau froide. Versez dans une casserole la crème, le sucre et la gousse de vanille fendue en deux dans le sens de la longueur. Faites frémir à feu doux et laissez refroidir. Ôtez la vanille et déposez la gélatine essorée. Mélangez. Versez dans les verrines et réservez au réfrigérateur pendant 8 h.

Faites chauffer la confiture de cerises allongée de liqueur de rose et répartissez-la sur les verrines démoulées.

Cheesecake

Pour **8 personnes** | Préparation **30 minutes**
Égouttage **1 nuit** | Cuisson **1 heure**
Réfrigération **3 à 4 heures** | Niveau **facile**

1 pâte sablée | 3 cuil. à café de zeste de citron | 3 cuil. à café de zeste d'orange
50 cl de crème fraîche épaisse | 1,25 kg de fromage blanc à 40 % | 5 œufs
+ 2 jaunes | 400 g de sucre en poudre | 3 cuil. à soupe de farine | 1 paquet
de sucre vanillé

Matériel | Passoire | Mousseline | Moule à fond détachable | Papier sulfurisé

La veille, mélangez le fromage blanc et la crème, puis mettez-les à égoutter
1 nuit. Vous pouvez disposer une mousseline dans une passoire ou plusieurs
couches de papier essuie-tout.

Le jour même, préchauffez le four à 190 °C (th. 6). Beurrez un moule à fond
détachable, sans oublier les bords. Avec la pâte sablée, foncez le fond du moule
et découpez une bande assez large (5 cm) pour foncer le bord. Piquez la pâte
avec une fourchette et tapissez-la avec du papier sulfurisé. Garnissez de
légumes secs.

Enfournez 10 à 15 min jusqu'à ce que la pâte commence à brunir. Laissez
refroidir. Battez le fromage et la crème égouttés avec le sucre, les œufs, la
farine, les zestes et le sucre vanillé.

Garnissez le moule avec ce mélange et enfournez pour 45 min. Sortez du four,
laissez refroidir, puis réfrigérez au moins 3 à 4 h avant de servir.

Variante | Parsemez d'1 cuillerée à café de zeste de citron et d'orange.

Conseil | Servez après un repas de printemps avec un café serré
ou assez fort.

Yaourt au citron vert à la vodka

Pour **8 yaourts** | Préparation **10 minutes**
Cuisson **5 minutes** | Fermentation **8 à 9 heures**
Réfrigération **6 heures** | Niveau **difficile**

2 citrons non traités | 80 cl de lait | 8 petites boules de sorbet au citron
1 yaourt nature entier | 4 cuil. à soupe de lait entier en poudre | 80 g de sucre
10 cl de vodka

Matériel | 8 petits pots transparents | Yaourtière

Faites chauffer le lait et le sucre, puis laissez refroidir doucement.

Fouettez le yaourt entier avec le lait en poudre dans un saladier puis, toujours en battant, incorporez le lait sucré descendu à température ambiante. Mélangez bien.

Zestez finement les citrons et pressez le jus d'1 demi-citron. Mélangez bien avec le lait et le yaourt. Faites tiédir le mélange. Répartissez dans les petits pots et faites prendre à la yaourtière pendant 8 à 9 h.

Couvrez les yaourts et entreposez-les au frais pendant au moins 6 h avant de les surplomber d'1 petite boule de sorbet au citron et d'arroser de vodka selon votre goût. Servez sans attendre.

Variante | Si vous n'avez pas de yaourtière, vous pouvez préparer des yaourts au four en les mettant au bain-marie dans un four préchauffé à 60 °C (th. 2) pendant 2 h. Ensuite laissez-les dans le four pendant 4 h sans l'ouvrir. Vous pouvez aussi couvrir les pots d'une assiette et les envelopper dans un torchon, puis une couverture et les laisser 1 nuit près d'un chauffage.

Conseil | Ce mélange étonnant de frais et de glacé s'associe très bien avec un café fort et aromatisé à la bergamote.

Granité au Baileys

Pour **6 personnes**
Préparation **15 minutes**
Congélation **2 heures 30**
Niveau **facile**

120 g de sucre en poudre | 15 cl de Baileys
25 cl de café bien fort

Matériel | 4 coupes transparentes

Faites fondre à feu doux le café avec 25 cl d'eau et le sucre. Retirez du feu, ajoutez le Baileys et mélangez bien. Versez cette préparation dans un grand plat, laissez refroidir, puis faites prendre 45 min au congélateur.

Remuez avec une fourchette le mélange épaissi, décollez les paillettes qui se forment sur le bord et remettez au congélateur pendant 1 h 15. Remuez à nouveau de temps en temps afin d'obtenir une préparation dont les paillettes se détachent bien.

Sortez le granité du congélateur 5 min avant de le répartir dans les coupes et de le déguster. Servez avec une salade d'agrumes et des biscuits secs.

Sorbet choco au fenouil confit

Pour **8 personnes**
Préparation **10 minutes**
Cuisson **15 minutes**
Congélation **2 heures 30**
Niveau **facile**

Pour le sorbet | 200 g de chocolat noir | 1/2 cuil. à café de graines de fenouil | 125 g de sucre

Pour le fenouil confit | 2 petits bulbes de fenouil avec les tiges | 125 g de sucre

Matériel | Sorbetière

Éliminez les feuilles extérieures du fenouil. Tranchez les bulbes en rondelles, puis en dés. Préparez un sirop avec le sucre et 10 cl d'eau et faites-y cuire le fenouil pendant 15 min. Égouttez et réservez.

Préparez le sorbet. Hachez le chocolat. Portez à ébullition 50 cl d'eau et le sucre et incorporez le chocolat. Laissez bouillir 2 à 3 min. Ajoutez les graines de fenouil et le fenouil confit et mélangez. Faites prendre dans une sorbetière.

Fruits de la Passion givrés
à la fleur d'oranger

Pour **6 personnes** | Préparation **20 minutes**
Congélation **6 heures** | Niveau **facile**

3 fruits de la Passion bien mûrs | 4 cuil. à soupe de crème fraîche | 1 yaourt
4 cuil. à soupe de sucre | 4 cuil. à soupe d'eau de fleur d'oranger

Pour accompagner | Coulis de fruits rouges | 6 ou 12 framboises

Rincez les fruits de la Passion et coupez-les en deux. Prélevez leur chair en réservant les peaux intactes. Mixez la chair avec le sucre, le yaourt et l'eau de fleur d'oranger. Versez dans un bol et congelez 2 h jusqu'à ce que le mélange commence à durcir, en fouettant avec une fourchette toutes les 30 min. Au bout de 2 h, fouettez vigoureusement la crème fraîche et incorporez-la à la pulpe de fruit en fouettant.

Laissez prendre complètement au congélateur pendant encore 4 h. Retirez la crème glacée du congélateur 10 min avant de servir de façon à pouvoir façonner de petites boules dont vous remplirez les écorces de fruits de la Passion mises de côté. Posez les demi-fruits sur des coupelles, accompagnés de coulis de fruits rouges et décorés d'1 à 2 framboises.

Variante | Vous pouvez servir une glace d'ananas ou de pastèque dans une coupelle faite à partir d'un morceau d'écorce ou dans la coque d'une noix de coco avec des mouillettes de tranches de fruits.

Conseil | Servez ces fruits givrés avec un café américain relevé d'une pointe d'eau de fleur d'oranger ou avec un café blanc (eau chaude, sucre, et un peu d'eau de fleur d'oranger).

Meringue et parfait glacé à l'anis

Pour **6 personnes**
Préparation **20 minutes**
Cuisson **10 minutes**
Congélation **6 heures**
Niveau **difficile**

1 grosse meringue de pâtissier | 15 cl de crème liquide | 4 jaunes d'œufs | 100 g de sucre | 1 cuil. à soupe de graines d'anis légèrement concassées | 5 cl de liqueur d'anis

Émiettez grossièrement la meringue. Faites fondre le sucre dans 3 cl d'eau chaude. Battez les jaunes d'œufs au bain-marie en ajoutant progressivement le sirop de sucre encore chaud. Le mélange doit mousser et doubler de volume. Retirez du feu et laissez refroidir en fouettant fréquemment.

Montez la crème liquide en chantilly et incorporez-la à l'appareil, ainsi que les graines, la liqueur et la meringue. Placez dans un bol pendant 6 h au congélateur. Servez dans de grosses cuillères de service.

Crème glacée aux Carambar®

Pour **6 personnes**
Préparation **25 minutes**
Cuisson **15 minutes**
Congélation **5 heures**
Niveau **facile**

8 Carambar® | 30 cl de lait | 10 cl de crème liquide | 3 œufs | 15 g de sucre
Matériel | Sorbetière

Faites chauffer le lait et la crème puis faites fondre 6 Carambar®. Réservez. Séparez les jaunes des blancs d'œufs et fouettez les jaunes avec le sucre. Versez le lait et la crème aux Carambar®. Mettez l'ensemble sur le feu et faites cuire très doucement jusqu'au début de l'ébullition. Laissez refroidir.

Montez les blancs en neige et incorporez délicatement à la préparation. Entreposez 1 h au réfrigérateur avant de découper les 2 Carambar® restants en petits bouts et de les mélanger à la préparation. Faites prendre dans une sorbetière ou au congélateur pendant 5 h en battant 3 fois la crème à une demi-heure d'intervalle en début de congélation.

Pamplemousses caramélisés

Pour **8 personnes** | Préparation **20 minutes**
Cuisson **1 heure 05 minutes** | Niveau **facile**

3 gros pamplemousses roses non traités | 30 cl de crème liquide | 50 g de beurre | 2 œufs | 20 g de farine | 80 g de sucre en poudre | 5 cuil. à soupe de sucre glace | 1 cuil. à café d'extrait de vanille

Matériel | 8 cuillères à servir | Bols ou coupelles

Allumez le four à 160 °C (th. 5). Avec un couteau bien aiguisé, épluchez à vif 2 pamplemousses et coupez la chair en belles tranches. Enlevez les pépins et coupez les tranches en deux. Beurrez la plaque à four, disposez-y les tranches et saupoudrez-les de sucre glace. Laissez cuire 45 min. Augmentez la température à 220 °C (th. 7) et laissez-les cuire encore 10 min pour les faire caraméliser.

Râpez le zeste du dernier pamplemousse et pressez-le. Battez les œufs avec le sucre en poudre et la vanille jusqu'à obtenir un ruban crémeux. Ajoutez la farine, le zeste et 1 petit verre de jus de pamplemousse. Mettez la préparation dans une casserole, ajoutez la crème et mélangez à feu doux environ 10 min jusqu'à ce que le mélange épaississe. Laissez refroidir et répartissez dans des cuillères à servir, des petits bols ou des coupelles. Décorez avec les tranches de pamplemousse caramélisées et servez.

Variantes | Vous pouvez réaliser cette recette avec des oranges, des clémentines ou des citrons jaunes ou verts. Des agrumes panachés vous permettront aussi de mélanger les couleurs et les saveurs.

Conseil | Servez après un repas copieux avec un café fort aux arômes puissants.

Fruits déguisés aux deux chocolats, sésame-pistaches

Pour **6 personnes**
Préparation **20 minutes**
Cuisson **5 à 7 minutes**
Séchage **1 à 2 heures**
Niveau **facile**

18 morceaux de fruits au choix | 50 g de chocolat noir | 50 g de chocolat blanc | 1 cuil. à soupe de graines de sésame | 1 cuil. à soupe de pistaches concassées | 2 gouttes d'huile

Matériel | Papier sulfurisé

Faites fondre le chocolat noir en morceaux et ajoutez 1 goutte d'huile. Mélangez. Recommencez avec le chocolat blanc.

Plongez les fruits dans le chocolat noir ou blanc et mettez-les à sécher sur une feuille de papier sulfurisé. Roulez les friandises au chocolat noir dans le sésame et celles au chocolat blanc dans les pistaches.

Conservez dans un endroit frais et servez dans la journée.

Verrines à la framboise

Pour **8 personnes**
Préparation **20 minutes**
Cuisson **5 minutes**
Réfrigération **4 à 5 heures**
Niveau **facile**

300 g de framboises | Le jus de 1 citron vert + le zeste | 4 cuil. à soupe de crème fraîche | 2 blancs d'œufs | 2 cuil. à soupe de crème de framboise | 80 g de sucre 1 pincée de sel

Matériel | 8 verrines transparentes

Réservez quelques framboises pour le décor et mixez le reste. Faites chauffer le jus de citron avec le sucre, le zeste puis la purée de framboises.

Montez les blancs d'œufs en neige ferme avec le sel. Battez vigoureusement la crème dans un saladier. Incorporez la purée, les blancs en neige et la crème de framboises. Mélangez bien. Versez la mousse dans des verrines et mettez au frais pendant 4 à 5 h. Décorez avec les framboises réservées.

Méli-mélo de fruits rouges au champagne

Pour **8 personnes** | Préparation **10 minutes**
Réfrigération **1 à 2 heures** | Niveau **facile**

1 mangue | 1 barquette de framboises | 100 g de petites fraises | 100 g de groseilles | 1/3 de litre de jus de canneberge | 3 cuil. à soupe de sirop de rose 1/3 de litre de champagne | 3 bâtons de vanille

Matériel | 8 verres

Mettez le champagne et le jus de canneberge à rafraîchir. Nettoyez tous les fruits. Coupez la chair de la mangue en dés. Coupez les fraises en deux ou en quatre en fonction de leur taille. Égrappez les groseilles. Remplissez les verres en commençant par les groseilles, puis les dés de mangue, les fraises et enfin les framboises.

Arrosez d'un trait de sirop de rose. Coupez les bâtons de vanille en deux dans le sens de la longueur, puis en tronçons et plantez un morceau dans chaque verre. Réservez au réfrigérateur. Au moment de servir, mélangez le champagne et le jus de canneberge dans une carafe. Versez à hauteur sur les couches de fruits.

Variante | Remplacez le champagne par de la bière à la cerise et le jus de canneberge par de la limonade.

Conseils | Servez avec des mini-palmiers ou décorez d'une feuille de menthe ou d'une tranche de kiwi. Accompagnez avec un expresso ou un café doux lors d'un repas de fête.

Salade de fruits d'été au muscat

Pour **8 personnes** | Préparation **45 minutes**
Réfrigération **6 heures** | Niveau **très facile**

500 g d'abricots | 1 melon | 125 g de framboises | 1 citron vert non traité
10 cl de sirop de sucre de canne | 20 cl de muscat | 2 feuilles de gélatine
2 brins de thym citron ou de mélisse

Matériel | 8 verrines

Placez un saladier au congélateur. Faites tremper les feuilles de gélatine dans de l'eau froide. Rincez, épongez et réservez . Effeuillez le thym citron. Prélevez le zeste du citron avec une râpe et pressez le jus.

Dans une casserole, portez à frémissement le sirop de sucre et le muscat. Hors du feu, incorporez, en fouettant, le jus de citron, les feuilles de gélatine essorées et les feuilles de thym citron. Laissez refroidir.

Rincez les framboises, épluchez le melon, épépinez-le et coupez la chair en dés. Rincez et dénoyautez les abricots et coupez les oreillons en deux ou en quatre selon leur taille. Mélangez délicatement les fruits avec le zeste du citron. Répartissez équitablement les fruits dans de petites verrines et arrosez de sirop parfumé. Réservez au moins 6 h au réfrigérateur avant de servir.

Variantes | Selon votre goût et les richesses du marché, essayez avec de la pastèque, des pêches ou nectarines, des cerises et remplacez le muscat par du champagne ou du rosé et arrosé d'un trait de sirop de grenadine.

Conseil | Proposez lors des après-midi caniculaires avec du café au lait glacé.

Cidre aux épices et aux fruits d'hiver

Pour **8 personnes**
Préparation **10 minutes**
Cuisson **5 minutes**
Niveau **très facile**

1 bouteille de cidre brut | 1 pomme à cuire | Le jus de 1 orange | Le jus de 1 citron | 2 baies de genièvre | 2 clous de girofle | 1 bâton de cannelle | 2 graines de coriandre | 2 grains de poivre | 30 g de sucre brun | 5 cl de calvados (facultatif)

Matériel | 8 petits verres

Épluchez la pomme, évidez-la et coupez la chair en petits morceaux. Mettez-les dans une casserole de taille moyenne. Ajoutez tous les autres ingrédients sauf le calvados.

Amenez à ébullition et retirez la casserole immédiatement du feu. Ajoutez éventuellement le calvados. Laissez la boisson refroidir dans la casserole. Vous pouvez retirer ou laisser les épices pour un côté plus rustique et convivial. Servez dans de petits verres.

Smoothie mangue, coco et perles du Japon

Pour **8 personnes**
Préparation **10 minutes**
Cuisson **10 minutes**
Niveau **facile**

1 grosse mangue bien mûre ou 2 petites 1 banane | 40 cl de lait de coco | 2 cuil. à soupe de perles du Japon | 1 cuil. à soupe de sucre de palme | 1 petite pincée de sel

Matériel | 8 verres givrés | Blender

Faites chauffer du lait de coco et ajoutez-y 2 cuillerées de perles du Japon. Laissez mijoter 10 min. Sucrez avec le sucre de palme et ajoutez le sel. Laissez refroidir.

Prélevez la chair de la mangue, épluchez la banane et coupez-les en morceaux dans le blender.

Filtrez le lait de coco et versez-le sur la mangue. Mixez. Versez dans des verres givrés et répartissez les perles du Japon. Servez.

Compote de melon aux trois épices

Pour **4 personnes** | Préparation **15 minutes**
Cuisson **20 minutes** | Niveau **très facile**

1 beau melon bien mûr | 20 g de gingembre frais | 1 bâton de cannelle
1 gousse de vanille | 30 g de sucre en poudre

Matériel | Sauteuse à revêtement antiadhésif | Écumoire | Compotier

Épluchez le morceau de gingembre et coupez-le en fins bâtonnets. Fendez la gousse de vanille. Mettez le gingembre, la gousse de vanille et le bâton de cannelle dans une sauteuse. Ajoutez 15 cl d'eau et le sucre. Portez à ébullition. Laissez frémir 5 min.

Pendant ce temps, coupez le melon en deux et éliminez les graines. Coupez les demi-melons en tranches fines et retirez-en l'écorce. Ajoutez-les au sirop. Laissez cuire pendant 5 min dans le jus frémissant, en les retournant à mi-cuisson. Retirez les tranches de melon avec une écumoire et mettez-les dans un compotier.

Faites bouillir environ 10 min et réduisez, à feu très doux pendant 10 min, le sirop de cuisson pour qu'il soit sirupeux. Versez sur le melon. Après refroidissement, réservez au réfrigérateur. N'oubliez pas de couvrir la compote refroidie d'un film étirable, afin que le parfum du melon n'envahisse pas le réfrigérateur. Servez de préférence très frais.

Variante | Vous pouvez préparer une compote de pastèque, fruit de l'été par excellence, en faisant macérer deux heures des dés de pastèque dans du vin rosé sucré et parfumé de cannelle, vanille, fenouil, etc.

Conseil | Servez un café aromatisé à la cannelle, à la vanille ou au gingembre.

Pour l'éditeur, le principe est d'utiliser des papiers composés de fibres naturelles, renouvelables, recyclables et fabriquées à partir de bois issus de forêts qui adoptent un système d'aménagement durable. En outre, l'éditeur attend de ses fournisseurs de papier qu'ils s'inscrivent dans une démarche de certification environnementale reconnue.

Direction : Jean-François Moruzzi
Direction éditoriale : Pierre-Jean Furet
Édition : Anne Vallet
Conception intérieure et couverture : Patrice Renard
Réalisation intérieure : MCP
Corrections : Aurélie Lorot
Fabrication : Amélie Latsch

Responsable partenariats : Sophie Augereau au 01 43 92 36 82

Dépôt légal : septembre 2009
23-03-7976-01-6
ISBN : 978-2-0123-7976-3
Impression : Graficás Estella, Espagne.

Pour trouver le meilleur vin qui accompagnera chacune des recettes de ce livre et savoir comment le servir, rendez-vous sur Hachettevins.com. Le site de référence.